Traducción: Frank Schleper

Título original: *Wenn Anna Angst hat...*
© Editorial Jungbrunnen, Viena - Múnich, 2002
© De esta edición: Editorial Luis Vives, 2002
Carretera de Madrid, km 315,700
500012 Zaragoza
Teléfono: 913 344 883
www.edelvives.es

ISBN: 84-263-4902-1
Depósito legal: Z. 2360-02

Talleres Gráficos Edelvives (50012 Zaragoza)
Certificado ISO 9002
Printed in Spain

Heinz Janisch
Ilustraciones de Barbara Jung

Cuando Ana tiene miedo

❖ EDELVIVES

Cuando Ana tiene miedo,
llama a sus amigos para que la protejan.

Llama al gigante gigantesco que nunca duerme.

Llama a los 33 caballeros de la Orden

de la Cáscara de Nuez.

Llama al dragón verde

que marea a todos con sus vueltas.

Llama a la pluma voladora

Ja
jo
ji ji

jaj

Ji

ji

jajaja

ji y

que hace unas cosquillas espantosas.

Llama al volcán incandescente

que atrae a todos a su cráter.

Llama al pintor de fantasmas

que pinta de colores a los fantasmas blancos.

Llama al gato de la suerte

que contagia a todos su placidez.

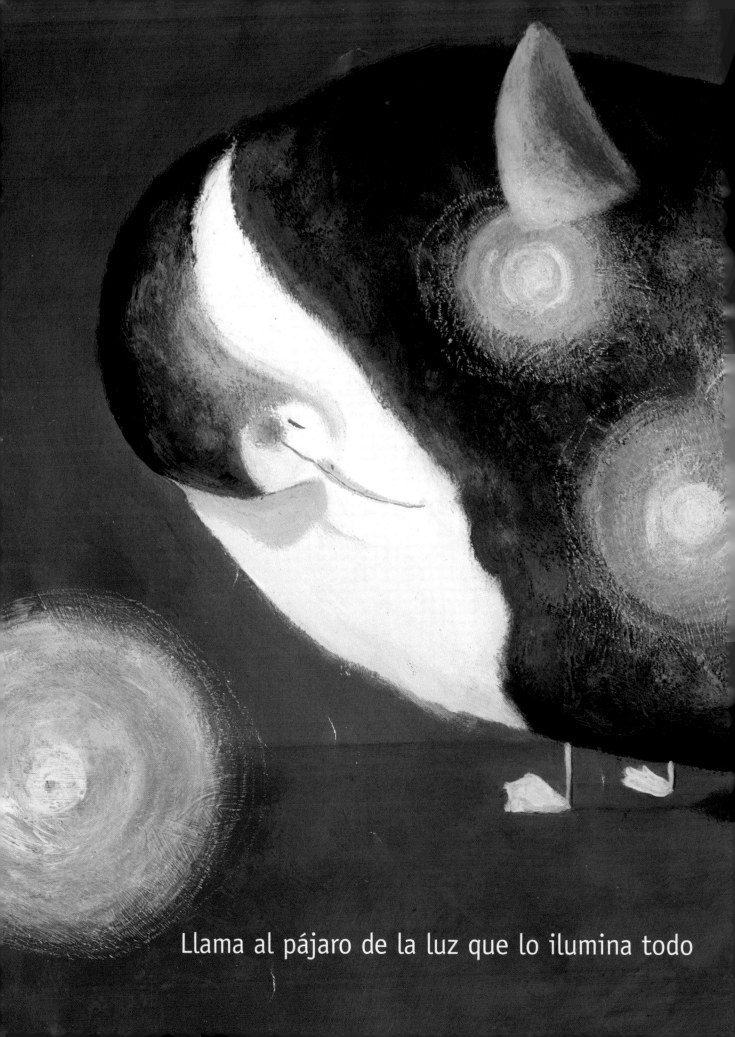

Llama al pájaro de la luz que lo ilumina todo

con un solo movimiento de sus alas.

Llama a la caudalosa
y rugiente catarata

que refresca su cara.

Llama al león cariñoso

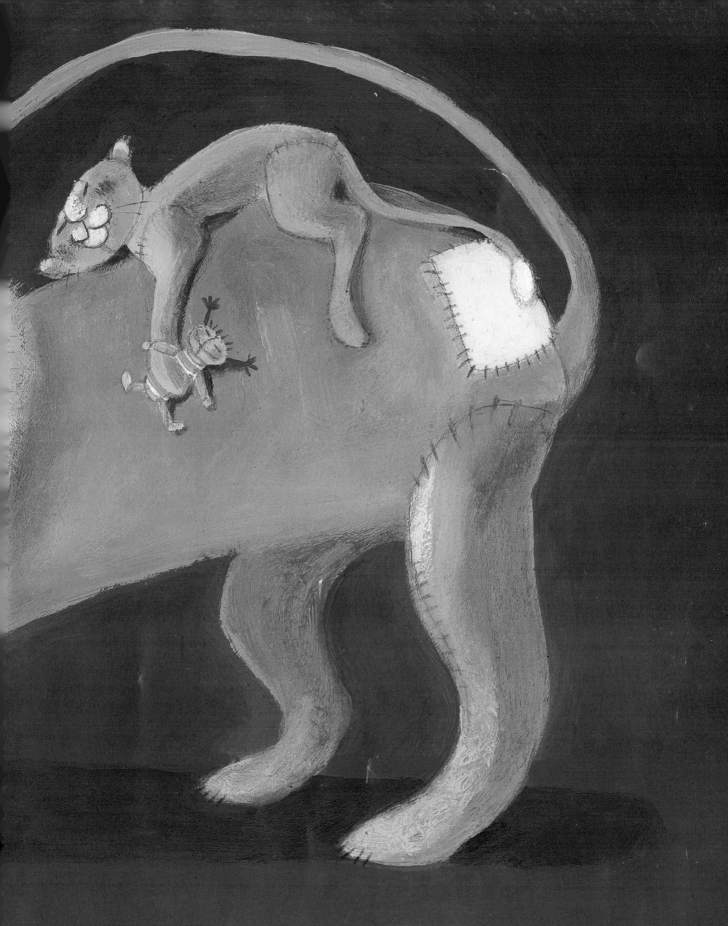

que adormece a todos con sus bostezos.

Y, finalmente, se llama a sí misma y dice bien alto:

—¡Ana no tiene miedo de nada!

Luego Ana se duerme.
Y todos sus amigos se duermen con ella.

Todos menos
el gigante gigantesco,
que se queda vigilando.